RATUS POCHE

COLLECTION DIRIGÉE PAR JEANINE ET JEAN GUION

Robin des Bois
prince de la forêt

Les histoires de toujours

- Icare, l'homme-oiseau
- Les aventures du chat botté
- Les moutons de Panurge
- Le malin petit tailleur
- Histoires et proverbes d'animaux
- Pégase, le cheval ailé
- Le cheval de Troie
- Arthur et l'enchanteur Merlin
- Gargantua et les cloches de Notre-Dame
- La légende des santons de Provence
- Les malheurs du père Noël
- À l'école de grand-père
- L'extraordinaire voyage d'Ulysse
- Robin des Bois, prince de la forêt
- Les douze travaux d'Hercule
- Les folles aventures de Don Quichotte
- Les mille et une nuits de Shéhérazade
- La malédiction de Toutankhamon
- Christophe Colomb et le Nouveau Monde

 ISSN 1259 4652, ISBN 978-2-218 74826-4

Robin des Bois prince de la forêt

D'après la légende anglaise

Un récit de Giorda
illustré par Stanislas Barthélémy

HATIER

Petit-Jean
Frère Buck
Willy l'Écarlate
Robin des Bois

Les personnages de l'histoire

Pour Grégoire et Hector,
mes aventureux petits-neveux !

1

L'embuscade

La forêt de Sherwood était silencieuse en ce matin de janvier de l'an de grâce 1194. Seul un léger souffle de vent agitait les feuilles des chênes centenaires.

Tout à coup, un écureuil bondit de branche en branche. Un cerf releva sa tête chargée de bois et huma le vent avant de s'enfuir brusquement.

À une portée de flèches de là, en effet, toute la troupe de Robin des Bois venait de se poster en embuscade derrière les gros rochers qui [1] émergeaient du sol, au creux des buissons épais, sur les branches ou derrière les troncs des arbres, au fond de trous creusés à la hâte et recouverts de feuilles mortes. Armés de bâtons noueux, de frondes, de fourches dont les dents luisaient [2] dans le sous-bois, d'arcs et de flèches taillés dans des branches de noisetiers, tous attendaient le signal de Robin. Celui-ci était en grande discussion avec ses fidèles lieutenants : Willy l'Écarlate, ainsi nommé parce qu'il portait, par tous les temps et en toute saison, une toque rouge ornée d'une plume de faisan, Petit-Jean, un géant qui n'avait pas son égal pour le combat au bâton, et frère Buck, qui s'était joint à la troupe depuis quelques mois.

– Ainsi, demandait Robin à Willy, tu es sûr de ce que tu dis ?

– Sûr et certain ! Je les ai vus entrer dans la forêt, ce matin dès l'aube.

– Par le nord ou par le sud ? s'enquit Petit-Jean.

– Par le sud !

– Alors, ils se dirigent vers Nottingham, conclut Robin. Combien de chariots ?

– Cinq ! Tous bâchés, et escortés d'une quarantaine d'hommes en armes, archers et arbalétriers, portant l'oriflamme du shérif de Nottingham, répondit Willy l'Écarlate.

– Mazette ! fit alors frère Buck, resté muet jusque-là. Ils doivent transporter un grand et gros trésor !

– Pas aussi gros que toi ! dit en riant Robin.

Le moine pesait en effet plus de deux cents livres, car il aimait bien boire et bien manger ! 5

Willy l'Écarlate et Petit-Jean ne purent s'empêcher de rire.

– Taisez-vous donc ! fit le moine. Vous allez leur donner l'alerte.

Il n'aimait pas qu'on lui rappelle son poids et son tour de taille.

Comme pour lui donner raison, des battements d'ailes, lourds et précipités, retentirent dans le sous-bois. C'était un coq de bruyère, effrayé par leurs rires. Robin leva son arc. Une flèche partit en vibrant. Et le coq s'abattit tout près de là.

– Ce sera pour le repas de nos hôtes ! dit Robin avec un sourire malicieux. Car nous allons les arrêter, n'est-ce pas, compagnons ?

Tous firent « oui » de la tête. Ils avaient une confiance absolue en leur chef. Sous ses ordres, ils auraient combattu une armée entière, à mains nues s'il l'avait fallu.

– Attention ! Ils arrivent ! chuchota Willy.

Et le silence retomba sur la forêt.

Le convoi de chariots avançait lentement. Parfois, une ornière, plus profonde que les

Il y a une erreur dans l'armement des soldats. Laquelle ?

autres, les faisait pencher dangereusement, comme s'ils allaient verser dans le fossé qui bordait la route. Parfois, une branche basse menaçait de mettre à bas un des hommes qui conduisaient les attelages de mules. Pas moins de quatre bêtes par chariot ! Malgré tout, le convoi avançait toujours, dans un concert de grincements d'essieux, de clochettes grelottantes, de claquements de fouets et de cris de charretiers.

Tout autour des chariots, les soldats de l'escorte ne cessaient d'observer, du haut de leurs chevaux, les abords immédiats de la route. À la différence des hommes de Robin, ils étaient équipés de pied en cap : casques en acier, avec visière et nasal, cottes de mailles, gantelets de [6] fer, jambières fixées par de grosses lanières de cuir. Chacun portait sur son épaule un arc avec son carquois, ou bien une arbalète, arme [7] particulièrement redoutable puisqu'elle pouvait projeter ses courtes flèches jusqu'à plus de cent toises ! Sans oublier les lourdes épées qui [8] pendaient à leur côté, les masses d'armes et les dagues ! Le gros moine avait raison. Ils devaient [9] sûrement escorter un trésor !

Tout à coup, un appel de corne retentit à travers la forêt. Les charretiers tirèrent sur les rênes pour arrêter leurs mules. Les chevaux des soldats de l'escorte se cabrèrent. Quelques cavaliers, surpris, faillirent tomber. Ils eurent à peine le temps de se rattraper. Déjà, Robin lançait son cri :

– À l'attaque !

Aussitôt, ses hommes sortirent de leurs cachettes. Ils semblaient à la fois jaillir du sol et tomber des arbres. Leurs flèches volaient vers les soldats à cheval, alors que ceux-ci n'avaient pas encore décroché leurs arcs de leurs épaules ! Plusieurs tombèrent, mortellement blessés. Les compagnons de Robin se précipitèrent sur les autres, encore surpris par la soudaineté de l'attaque. Cernés de toutes parts, les soldats voulurent tirer leurs épées, mais ils furent promptement entourés, saisis aux jambes, jetés à bas de leurs montures. Petit-Jean en abattit quelques-uns à coups de bâton, pendant que Robin, épée en main, défiait le shérif de Nottingham en combat singulier. Se frayant un passage à travers la mêlée, Willy courut vers les chariots en compagnie d'une demi-douzaine d'hommes. Aussitôt, ils se saisirent des rênes. Et ils allaient conduire les attelages jusqu'à leur camp, au cœur de la forêt, quand une voix courroucée s'éleva au-dessus du tumulte : 11

– Eh bien, shérif, que se passe-t-il ?

Mais le shérif avait l'épée de Robin sur la gorge. Il réussit à dire :

– Madame, c'est une attaque de bandits !

Puis il ajouta piteusement : 12

– Et nous avons le dessous. Nous sommes obligés de nous rendre !

À ces mots, Robin leva les bras en signe de victoire en criant : « Hourra ! », aussitôt imité par tous ses compagnons.

– Personne, dans cette forêt, ne respecte donc les soldats du régent d'Angleterre ? reprit la voix, toujours aussi en colère.

La portière du premier chariot fut soulevée par une main gantée de bleu. Et une jeune femme apparut. Âgée d'une vingtaine d'années à peine, elle paraissait fragile. Mais l'expression énergique de son visage, encadré de longs cheveux blonds, démentait cette apparence. Et ses yeux bleus lançaient des éclairs de colère.

– Soyez sans crainte, noble dame, lui lança

Robin. Ces hommes peuvent repartir librement. Nous garderons seulement leurs chevaux et leurs armes !

– Mais qui êtes-vous donc ? s'écria la jeune femme.

– Robin de Loskley, pour vous servir ! répondit Robin. Oserais-je, en retour, vous demander votre nom, noble dame ? ajouta-t-il en s'inclinant profondément.

– Marianne de Barnsdale ! Le roi Richard est mon parrain.

– Le roi Richard Cœur de Lion ! s'exclama Robin. N'est-il pas mort lors de la croisade qu'il a menée contre les Infidèles en Terre Sainte ?

– Hélas, oui ! répondit Marianne en essuyant une larme. Aussi, je viens à Nottingham pour demander aide et protection à son frère, Jean sans Terre, régent de ce royaume. Et qui sera bientôt roi d'Angleterre…

– À Dieu ne plaise ! s'écria Robin. Jean sans Terre ! C'est lui qui a confisqué mes terres et mon château de Loskley, parce que je suis resté un loyal partisan du roi Richard.

Et comme Marianne le regardait d'un air étonné, il reprit :

– Voilà pourquoi je suis devenu le maître de la forêt de Sherwood. Et je ne suis pas un bandit, contrairement à ce que vous semblez croire. Ainsi, ces armes et ces chevaux seront dès demain revendus. Et l'argent récolté ira aux malheureux que Jean sans Terre accable d'impôts, dépouille de leurs biens, fait massacrer par ses soldats…

– Ouais ! ricana le shérif, tu te balanceras au bout d'une corde avant d'avoir distribué le moindre liard…

– Sornettes ! s'écria Petit-Jean. Il n'est pas né celui qui capturera Robin des Bois et lui passera la corde au cou !

– Allons, allons ! dit frère Buck. Trêve de bavardages. Regardons plutôt ce trésor !

– Inutile de fouiller ces chariots ! fit le shérif. Tous ces coffres appartiennent à la noble dame, Marianne de Barnsdale, et…

Mais frère Buck faisait déjà sauter les serrures d'un grand coffre de bois aux coins renforcés de métal.

– Par la barbe de saint Pierre ! s'exclama le moine. Venez donc voir !

Robin se précipita, ainsi que ses compagnons.

Qu'y a-t-il dans le coffre ouvert par frère Buck ?

Le coffre était plein à ras bord de pièces d'or.

– Il y en a au moins deux mille ! murmura Willy l'Écarlate, impressionné.

– N'y touchez pas ! s'écria aussitôt le shérif de Nottingham.

– Et pourquoi, mon bon seigneur ? ricana Petit-Jean en prenant une poignée de pièces qu'il serra entre ses énormes doigts.

– Parce que… parce qu'il s'agit là de l'argent des impôts, récolté à travers toute l'Angleterre.

– Eh bien, il ira aux pauvres d'Angleterre ! rétorqua Robin.

– Non !

– Et pourquoi non ? Est-ce toi qui nous en empêcheras ?

– Par Dieu ! fit le shérif. Si vous tenez à la vie du roi Richard, vous n'y toucherez pas !

– Quoi ? s'écrièrent en même temps Marianne et Robin. Le roi Richard n'est donc pas mort ?

– Non, madame ! répondit le shérif. Et tout cet or est destiné à payer la rançon de vingt mille pièces d'or que réclame pour la liberté de notre roi l'empereur d'Autriche qui le retient prisonnier.

– Mais pourquoi, l'interrompit Marianne,

pourquoi Jean sans Terre a-t-il laissé croire que son frère était mort ?

– Il voulait garder tout cet argent pour lui, pardi ! s'exclama Petit-Jean.

– Que nenni ! répondit le shérif. Il voulait faire la surprise à son bon peuple une fois la totalité de la rançon réunie.

– Balivernes ! fit Robin. Je connais trop bien le régent pour lui accorder la moindre confiance. Aussi, je garderai ce coffre ici. Il y sera en sécurité. Et quand la rançon sera réunie, nous la porterons nous-mêmes à l'empereur d'Autriche !

Et il fit signe à ses hommes d'emmener les chariots.

– Quant à vous, noble dame, reprit Robin, puisque vous allez à Nottingham, puis-je vous suggérer de demander quelques explications au régent ?

– Comptez sur moi, messire, répondit Marianne. Moi aussi, je suis fidèle au roi Richard !

Et, détachant de son cou un magnifique collier d'or, elle le tendit à Robin :

– Vous joindrez ce bijou au montant de la rançon, si vous voulez me plaire.

– Au nom de Richard, que Dieu le protège,

merci ! répondit Robin. Qu'on donne des chevaux au shérif et à la dame, ajouta-t-il en se tournant vers ses hommes. Et qu'on les escorte jusqu'à l'orée de la forêt. À bientôt, madame, j'espère...

– À bientôt, peut-être, répondit Marianne avec un léger sourire.

2

Mensonges !

Lorsque Marianne arriva à Nottingham, il n'y avait personne pour l'attendre à l'entrée du château, ni soldats rangés en haie d'honneur, ni même serviteurs et servantes, prêts à prendre soin d'elle après un si long voyage. Elle avait en effet parcouru en deux jours près de cent lieues pour venir de Londres. Depuis, il y avait eu cette embuscade dans la forêt de Sherwood. Et maintenant ?

Une sourde inquiétude monta en elle. Elle était venue demander aide et protection à Jean sans Terre, parce qu'il était le frère de son tuteur, le roi Richard. Pouvait-elle encore lui faire confiance après ce qu'elle venait d'apprendre ? Et si c'était un fourbe, un hommes sans scrupules, prêt à tout pour s'emparer du trône de son frère ? Que croire ?

Elle regrettait déjà l'absence de Robin. Auprès de lui, elle s'était sentie en sécurité. Et elle avait l'impression qu'elle pouvait lui faire confiance. Il lui avait dit : « À bientôt ! ». Elle avait déjà envie de le revoir…

Elle en était là de ses pensées quand une voix au timbre désagréable la fit sursauter :

– Eh bien, ma cousine, qu'avez-vous fait de vos chariots et de votre escorte ?

Elle se retourna brusquement et reconnut le régent. C'était un homme aux yeux fureteurs, à la bouche mince comme une balafre. Tout en parlant, il ne cessait de jeter autour de lui des regards inquiets, comme s'il craignait quelque attentat contre sa personne, ou comme s'il voulait avoir l'œil à tout et tout surveiller : le travail des valets d'écuries, celui des forgerons qui, dans un coin de la cour, réparaient armes et armures, ou celui des servantes qui couraient, affairées, en tous sens.

– Je vous ai posé une question, ma cousine, reprit le régent, toujours de la même voix désagréable.

– Et moi aussi, j'en ai une à vous poser, monseigneur, répliqua Marianne. Pourquoi m'aviez-vous caché, ainsi qu'à tous les habitants de ce royaume, que notre bon roi Richard était toujours vivant ?

Le régent se précipita vers elle pour lui fermer la bouche de sa main droite gantée de noir.

– Voulez-vous bien vous taire, ma cousine ! grinça-t-il. Voulez-vous que nous partagions les secrets de la Couronne avec tous ces manants ? Entrons dans le château. Nous y serons plus tranquilles. Et vous, de votre côté, vous m'expliquerez pourquoi vous arrivez ici sans votre escorte, et sans mes chariots.

Sans lui laisser le temps de répondre, il l'entraîna rudement vers les marches du château.

Pendant cette scène, le shérif de Nottingham, redoutant la colère du régent, était prudemment resté en arrière.

– Venez donc avec nous, messire ! lui cria le régent. Vous avez sûrement quelques explications à me donner, vous aussi…

Lorsqu'ils furent dans le cabinet particulier du régent, celui-ci fit d'abord apporter à Marianne une corbeille de fruits et un grand gobelet de lait parfumé à la cannelle. Puis il reprit, plus calmement :

– Je me suis emporté, tout à l'heure, et je vous prie de m'en excuser, ma noble cousine.

Oui, c'est vrai, j'ai dû cacher aux habitants de mon royaume que notre bon roi Richard était toujours vivant. Seuls, ceux qui m'aident à rassembler la rançon demandée par l'empereur d'Autriche connaissent la vérité. Et je regrette que le shérif n'ait pas su tenir sa langue. Mais vous devez me comprendre, Marianne. Sachez que j'attends d'avoir réuni la totalité de la rançon, près de vingt-cinq mille pièces d'or...

– Le shérif a parlé ce matin de vingt mille pièces seulement, l'interrompit Marianne, en reposant le gobelet à moitié vide.

– Vingt mille, vingt-cinq mille, ces chiffres sont tellement énormes que je m'y perds moi-même, fit le régent avec un sourire gêné. Mais il faut que vous sachiez aussi, ma chère cousine, qu'un bateau, ancré dans notre port de Londres, est prêt, nuit et jour, à mettre à la voile, dès que la totalité de la rançon aura été réunie... Êtes-vous tout à fait rassurée, maintenant ?

Et comme Marianne, prise de court, restait muette, il ajouta :

– Parlez-moi donc de votre voyage. Et nos chariots ? Et votre escorte ? Les avez-vous laissés en arrière ? Arriveront-ils bientôt ?

D'après le régent, qu'est-ce qui est prêt dans le port de Londres ?

– Je crains bien que non !

C'était la voix du shérif. Il fit un pas en avant, comme s'il voulait prendre sur lui toute la colère du régent, qui n'allait pas tarder à éclater de nouveau.

– Sortez donc, madame, ajouta-t-il en s'adressant à Marianne. Des servantes vous ont sûrement préparé un bain…

3

Le complot

Marianne sortit silencieusement, pendant que le shérif expliquait à Jean sans Terre ce qui s'était passé, le matin même, dans la forêt de Sherwood.

– Je n'ai pas pu faire autrement, conclut-il. Si j'avais dit que cet argent vous était destiné, nul doute qu'à l'heure actuelle, ce maudit Robin serait déjà en train de le distribuer aux pauvres. Car il ne se contente pas de le dire ! Il le fait ! Tandis que là, nous savons où aller reprendre ce coffre avec toutes ses pièces d'or ! Demain, j'organise une grande expédition et…

– Mais comment se fait-il, l'interrompit le régent, que ce Robin de Loksley soit encore par ici ? Pour le punir de sa fidélité à Richard, j'ai confisqué toutes ses propriétés. Je le croyais parti au loin, ruiné, mort peut-être. Et j'apprends aujourd'hui qu'il est devenu le maître de la forêt de Sherwood ! Sans doute viendra-t-il bientôt me défier ici-même ?

– Que le diable l'emporte ! cracha le shérif. Ce damné Robin trouve d'innombrables complices chez les petites gens, dans les villages environnants, à Nottingham même ! Nous n'avons jamais réussi à le prendre. Il y a toujours quelqu'un pour le prévenir. Ou bien c'est lui qui nous surprend, comme ce matin. Pour réussir à l'arrêter, il faudrait lui tendre un piège…

– Oui, mais comment ? Il me semble que…

Juste à cet instant, on frappa à la porte. Un homme de la garde entra dans la pièce et s'inclina devant Jean sans Terre.

– Eh bien, parle ! fit le régent, furieux d'avoir été interrompu.

– Monseigneur, une dizaine d'hommes ont ramené tout à l'heure cinq chariots, attelés de quatre mules chacun, et les ont abandonnés sans explication à une portée de flèches du château.

– Et pourquoi n'avez-vous pas attrapé ces voleurs, bandes d'incapables ? cria le shérif.

– Ils étaient déjà loin, quand nous nous sommes mis à leur poursuite… Un complice les attendait tout près de là avec des chevaux et ils ont couru se réfugier dans la forêt de Sherwood !

– C'étaient sûrement des hommes de Robin des Bois ! s'écria le régent. Allons voir ces chariots de plus près.

Et il se précipita dehors avec le shérif.

On avait fait entrer les cinq chariots dans la grande cour du château. Le shérif souleva les bâches, une à une. Il n'y avait plus là-dedans que les coffres contenant les vêtements et les objets de toilette appartenant à Marianne. Sur l'un d'eux trônait un magnifique coq de bruyère, prêt à être mis à la broche.

– Il y a un billet, fit le régent, furieux de voir que Robin avait gardé le coffre rempli d'or.

Le billet était glissé sous une aile de l'oiseau. Le régent ordonna au shérif de le lui lire.

Très chère Marianne,

J'ai eu quelque honte à vous laisser repartir sans tout ce qui rehausse si bien l'éclat de votre beauté et la douceur de votre sourire. Aussi, je vous fais retourner vos coffres par mes hommes.

Votre dévoué, Robin de Loskley.

– Voilà notre hors-la-loi changé en galant homme, ricana le régent.

– Attendez ! fit le shérif. Il y a un post-scriptum.

J'avais tiré pour vous ce coq, en espérant vous inviter à dîner. Les événements m'en ont empêché. Mais je souhaite qu'il vous rappelle, ce soir, lorsque vous le mangerez, le souvenir de notre rencontre.

– Ma parole, s'écria le régent. Non seulement notre homme est galant, mais de plus, il est amoureux… Décidément, ce diable d'homme a la manie de venir se mettre en travers de mes projets !

Et, comme le shérif le regardait sans comprendre, il ajouta :

– Puisque Marianne était persuadée que son cher tuteur, Richard Cœur de Lion, était bel et bien mort, il était logique qu'elle me demande aide et protection. C'est pourquoi elle est venue jusqu'ici. La voilà désormais en mon pouvoir ! N'est-ce pas bien joué ? Et moi, qui ne suis pas son parrain, je pourrai l'épouser. D'ailleurs, l'évêque d'Hereford a été mandé par mes soins. 21

La cérémonie aura lieu dans quelques jours à la chapelle du château.

– Mais pourquoi ? demanda le shérif, étonné par ces confidences.

Jean sans Terre éclata de rire :

– C'est pourtant facile à comprendre : si un jour, malgré tous mes efforts, Richard revient en Angleterre, il n'osera rien faire contre l'époux de Marianne, sa chère cousine et filleule… Mais voilà que Robin vient contrarier tous mes plans ! Morbleu, ajouta-t-il en serrant les poings, il faut nous en débarrasser au plus vite.

– Je crois que j'ai une idée ! fit le shérif avec un sourire mauvais. Puisque Robin est amoureux de Marianne, nous pourrions nous servir d'elle comme d'un appât pour l'attirer ici…

– Ici, au château ? demanda vivement le régent.

– Peut-être pas ! Ce serait trop beau, par ma foi. Mais au moins à Nottingham… Il faudrait que ce soit dans un lieu clos, où il aurait l'assurance de revoir Marianne… Après, il ne nous resterait plus qu'à le cueillir.

– Et ce lieu clos, quel serait-il ? demanda Jean sans Terre.

Le shérif s'approcha de lui et lui murmura quelque chose à l'oreille. Le régent hocha la tête. Puis il retourna vers le château en se frottant les mains, un sourire méchant aux lèvres, pendant que le shérif s'éloignait pour donner ses ordres.

Ni l'un ni l'autre n'avaient vu Marianne, venue près des chariots avec quelques servantes pour emporter ses coffres. Mais elle, elle avait entendu le début de leur conversation. Et, même si elle ne savait pas exactement ce qui se préparait, elle cherchait déjà le moyen de prévenir Robin pour le protéger du piège qu'allait lui tendre le shérif.

Quel événement annonce le héraut ?

4

Le concours

Le lendemain matin, dès l'aube, un héraut sortit du château de Nottingham, accompagné de deux valets. Le trio s'arrêta au premier carrefour. Les deux valets roulèrent vigoureusement le tambour. Puis, d'une voix haute et claire, le héraut annonça : 22

« Ce 25 janvier de l'an de grâce 1194, par faveur spéciale de notre bien-aimé régent Jean sans Terre, un grand concours de tir à l'arc opposera les meilleurs archers de notre région. Les épreuves se dérouleront au champ de foire de notre bonne ville de Nottingham, aujourd'hui même, à partir de midi.

« Un prix de dix ducats d'or sera remis au vainqueur par la très gracieuse et très noble dame Marianne de Barnsdale qui présidera le concours. » 23

Puis les trois hommes s'éloignèrent pour

recommencer au carrefour suivant. Bientôt, une foule de gamins les suivit à travers les rues de la ville. Les commères, en train d'acheter leurs légumes sur le marché, s'écriaient en entendant l'annonce :

– Dix ducats d'or ! Je vais dire à mon homme d'aller vite s'acheter un arc !

– Ma foi, je cours au champ de foire. Ce n'est pas tous les jours qu'on peut admirer à Nottingham de beaux et nobles archers. Tant pis pour la soupe de midi ! Elle attendra ce soir.

Les hommes, eux, rêvaient qu'ils recevaient le prix des mains de Marianne. Et ils l'imaginaient en train de les complimenter…

– Par ma foi ! s'écria l'un d'eux, je ne connais personne qui tire mieux que Robin des Bois. Mais je suis bien sûr qu'il ne viendra pas. Ce serait trop dangereux pour lui… Alors, j'ai toutes mes chances !

Et il se dirigea d'un pas pressé vers le champ de foire pour s'inscrire le premier.

Ainsi, la rumeur courut à travers la ville, traversa bientôt la campagne, atteignit enfin la forêt de Sherwood, où Robin, qui rêvait à Marianne, l'entendit.

– Quoi ? s'écria-t-il. Un concours de tir à l'arc présidé par ma chère Marianne ? Par ma foi, je ne m'appellerais plus Robin de Loksley si je n'y courais pas. Si je le remporte, cela fera dix ducats de plus pour la rançon ! Et j'aurai vu Marianne !

– Prends garde, Robin, dit Willy l'Écarlate. C'est peut-être un piège…

– Un piège ?

– Oui ! Tendu par le régent… fit Petit-Jean. Ou par le shérif… Pour s'emparer de toi et te faire pendre !

– Avec la complicité de la belle Marianne ! ajouta frère Buck.

– Comment oses-tu dire cela ? s'exclama Robin. Marianne, complice de ces coquins ? Je ne peux pas le croire… Au contraire, si Marianne préside ce concours, cela veut dire qu'il n'y aura aucun piège. Je suis bien certain qu'elle n'aurait jamais voulu être mêlée à une action aussi basse !

Et, comme ses fidèles lieutenants ne semblaient pas convaincus, il ajouta :

– Si cela peut vous tranquilliser, mes amis, je tairai mon nom. Mieux encore, j'irai là-bas déguisé en paysan. Je rabattrai les pans de ma capuche sur mon visage lorsque je passerai devant les gardes du régent…et aussi quand je recevrai le prix des mains de ma chère Marianne.

– Ils te reconnaîtront toujours, par tous les diables de l'Enfer ! fit Petit-Jean en haussant les épaules. Même si tu te déguisais en démon, avec une queue et des pieds fourchus, ils crieraient : « Haro, voilà Robin ! Emparez-vous de lui ! »

– Et pourquoi donc ?

– Parce que tu es le meilleur au tir à l'arc, Robin. Le meilleur de la région. Le meilleur de toute l'Angleterre. Alors, à l'instant où tu t'avanceras pour recevoir ton prix, tout le monde te reconnaîtra, paysan ou pas !

– Eh bien, je ne gagnerai pas le concours et je ne recevrai pas le prix, fit Robin.

– Mais pourquoi aller à Nottingham, alors ?

– Pour revoir Marianne ! s'écria Robin.

Ses amis comprirent qu'ils ne pourraient pas l'empêcher de se rendre sur le champ de foire de Nottingham en plein midi. Alors, pendant que Robin préparait son arc et remplissait son carquois de flèches, ils cherchèrent ensemble comment l'arracher aux griffes du régent, si celui-ci parvenait à s'emparer de lui.

– À ce soir, mes amis ! leur cria Robin en enfourchant un des chevaux pris la veille aux soldats du shérif.

Et il s'élança vers Nottingham.

Avant d'entrer en ville, il s'arrêterait chez son ami Colin. Il se ferait prêter une cotte de paysan, une capuche et il se barbouillerait le visage de suie. Ainsi, personne ne le reconnaîtrait !

Il n'était pas parti depuis un quart d'heure que Petit-Jean et Willy l'Écarlate, qui s'étaient mis eux aussi en route vers Nottingham avec une trentaine d'hommes, arrêtèrent un cavalier qui entrait dans la forêt de Sherwood.

– Où vas-tu donc ? lui demanda rudement Petit-Jean. On ne s'aventure pas ici sans risques…

– Je le sais bien, mon noble seigneur, répondit le cavalier en baissant la tête. Marianne m'a prévenu…

– Marianne ?

– Oui ! C'est elle qui m'envoie jusqu'ici.

– Pour nous espionner ! s'écria Willy l'Écarlate.

Qu'est-ce que Marianne fait porter pour Robin ?

Le cavalier secoua la tête :

– Non, messire ! Elle m'a demandé de remettre ceci à Robin de Loskley.

26

Et, fouillant dans son escarcelle, il en tira une magnifique bague en or sertie de diamants.

– Une bague ? Et pourquoi ? s'étonna Willy.

– Pour signifier hautement à tous que Marianne de Barnsdale, filleule du roi Richard, accorde sa protection à Robin de Loskley en tous lieux et en toutes circonstances... Alors, où est Robin ? Car c'est à lui, et à lui seul, que je dois la remettre.

– Donne-la-moi ! dit Petit-Jean en lui prenant la bague des mains. Je la lui porterai moi-même.

5

Le piège

Il était bientôt midi. Le concours allait commencer. Robin arrivait aux abords du champ de foire. Une foule immense l'emplissait déjà. Mais un vaste espace avait été aménagé au milieu. Des valets d'armes étaient en train d'y installer les cibles que les concurrents transperceraient bientôt de leurs flèches. Ils étaient une dizaine, déjà, à s'être inscrits. Certains étaient connus des spectateurs qui se les montraient du doigt.

– Si Robin ne vient pas concourir, disait l'un, Buch l'Écossais aura sa chance. Sinon…

– Robin ne viendra pas, disait un autre. Il n'est pas fou. Il risquerait sa vie, ici !

Et pourtant, Robin était là, déguisé comme il l'avait dit. Il franchissait tranquillement le rideau d'hommes d'armes qui entouraient le champ de foire. À peine s'étonna-t-il d'en voir autant pour un simple concours de tir à l'arc.

– Bah ! pensa-t-il. Le régent n'oserait jamais se montrer en public sans une protection renforcée…

Jean sans Terre, justement, apparaissait, salué par une sonnerie de trompettes accompagnée de roulements de tambours. Marianne marchait à ses côtés, les yeux baissés. Ils allèrent s'installer tous les deux sous une haute tente au tissu blanc brodé d'or où l'on avait installé leurs fauteuils.

– Que le concours commence ! fit le régent en frappant dans ses mains.

Il n'avait pas une voix bien forte. Aussi le héraut dut-il répéter ses paroles pour que la foule les entende. Puis le maître d'armes du château proclama :

– Que les concurrents s'avancent vers moi ! Je leur donnerai un numéro d'ordre. Ainsi, chacun tirera à son tour.

Au même instant, Petit-Jean arrivait au champ de foire avec ses hommes. Mais il était déjà trop tard. Robin était avec les autres concurrents devant le héraut d'armes. Il reçut le numéro douze. Il tirerait donc en dernier.

Les valets d'armes placèrent les cibles à bonne

distance. Et le concours commença.

Le premier concurrent plaça sa flèche tout près du milieu de la cible et fut salué par quelques applaudissements. Le second lança la sienne dans les nuages. Des sifflets saluèrent ce bel exploit ! Le troisième visa longuement…

Robin, qui attendait son tour, s'était tourné vers Marianne, dans l'espoir d'attirer son attention. Mais celle-ci semblait regarder au loin, par-delà ce champ de foire, par-delà même les remparts de Nottingham, vers la forêt de Sherwood, peut-être.

« Elle pense à moi, se dit Robin, comme moi je pense à elle ! Sans doute n'imagine-t-elle pas que je suis venu. Sera-t-elle heureuse de me voir ? »

Robin savait pourtant qu'il ne serait guère prudent de remporter ce concours.

– C'est à toi, dit tout à coup une voix rude derrière lui.

Robin reconnut un des sergents qui accompagnait la veille le shérif dans la forêt de Sherwood. Pris d'une inspiration subite, il se pencha vers lui :

– Robin des Bois devait concourir, m'a-t-on

dit en ville. Mais je ne le vois nulle part…

L’autre soupira :

– C’est ce que j’ai essayé d’expliquer au shérif ce matin. Jamais Robin ne s’aventurerait à Nottingham en plein jour… Il est bien trop malin. Et nous perdons notre temps avec ce concours stupide. Mais enfin, c’est la volonté du régent, ajouta-t-il en haussant les épaules.

– Merci du renseignement, fit Robin en tirant une flèche de son carquois. Si Robin n’est pas là, j’ai une petite chance de gagner !

Si le sergent ne l’avait pas reconnu, alors qu’il l’avait vu la veille, il était sûr de passer inaperçu. Mais Marianne le reconnaîtrait, il en était sûr ! Et elle serait heureuse de le voir ! Il tira sa première flèche. Elle se ficha au milieu de la cible, tout près du point central. La foule applaudit.

– Six concurrents sont encore en lice pour le second tour ! annonça le héraut d’armes.

Le concours devint plus serré. Buch l’Écossais plaça une flèche plus près encore du centre que celle de Robin. Celui-ci ne put s’empêcher de dire « Bravo ! Mais attends un peu !… » Puis il se mit en position pour tirer à son tour.

– C’est bizarre, l’ami, dit tout à coup le sergent. Il me semble avoir déjà entendu ta voix quelque part. Mais où ?

Robin sourit :

– Je viens de te parler à l’instant, tu ne t’en souviens pas ?

Il hésita un instant. Il ne serait sans doute pas très prudent de se faire remarquer par un tir trop précis. Mais, s’il voulait s’approcher de Marianne… Du coup, il plaça sa flèche aussi près du centre de la cible que celle de Buch l’Écossais.

– Il faudra un troisième tour pour les départager, annonça le héraut d’armes après avoir vérifié la cible.

– Allez-y ! fit Jean sans Terre, qui paraissait s’ennuyer.

Marianne, elle, ne réagit pas. Elle regardait toujours au loin. Et la foule scandait le nom de Buch, qui lança sa flèche en plein dans le point central. Personne ne pourrait faire mieux que lui ! Il lança son arc en l’air en criant :

– J’ai gagné ! J’ai gagné !

Piqué au vif, Robin oublia toute prudence. Il visa soigneusement, et sa flèche vint se planter en plein cœur de la flèche de Buch, la coupant en deux.

La foule lança des hourras enthousiastes. Robin avait gagné. Une escorte le conduisit jusqu'à Marianne, sous les regards inquiets de ses compagnons, restés au bord du champ de foire.

– Hé, l'ami ! reprit le sergent pendant qu'ils passaient au milieu de la foule en liesse. Je suis sûr qu'on s'est déjà vus quelque part, toi et moi. Tu ne t'en souviens pas, toi ?

– Si ! répondit Robin avec un léger sourire. Juste à l'instant !

Mais il ne regardait que Marianne. Quand il fut devant elle, elle se leva pour lui tendre une bourse brodée d'or et d'argent.

– Vous avez bien mérité cette récompense, lui dit-elle. Quel exploit extraordinaire ! ajouta-t-elle en souriant. Je ne connais qu'un homme capable de faire aussi bien…

Robin releva la tête. L'avait-elle reconnu ? Allait-elle le trahir ? Il voulut lui répondre, mais, déjà, Jean sans Terre se levait :

– Ma noble cousine a raison, dit-il de sa voix aigre. D'ailleurs, tu ne nous as pas dit ton nom !

Où est la dernière flèche de Robin des Bois ?

– Browstrom, Robert Browstrom, répondit Robin, les yeux toujours fixés sur Marianne.

La jeune femme se détourna. Et, au même instant, le shérif s'écria :

– C'est faux ! Seul Robin de Loksley est capable d'un tel exploit ! Soldats, arrêtez-le !

Robin sentit la rude poigne du sergent s'abattre sur son épaule. Et il l'entendit s'exclamer :

– Je m'en souviens, maintenant ! C'était dans la forêt de Sherwood !

6

Trahison !

Robin avait beau se débattre, les hommes du shérif étaient trop nombreux pour qu'il puisse leur échapper. Et il n'avait pas d'arme ! Même pas son arc, qu'il avait déposé aux pieds de Marianne pour recevoir sa récompense.

Marianne ! Est-ce que c'était elle qui l'avait trahi ? Car elle l'avait reconnu, il en était sûr. Il se souvenait de ses dernières paroles : « Je ne connais qu'un homme capable de faire aussi bien… » – Exactement ce qu'avait dit Petit-Jean pour le mettre en garde : « Ils te reconnaîtront parce que tu es le meilleur au tir à l'arc, Robin ! » – Et, après lui avoir remis la bourse brodée d'or et d'argent, elle s'était retournée vers le régent. N'était-ce pas pour lui dire : « Oui ! C'est bien Robin des Bois ! Je l'ai reconnu. » ? Il ne restait plus à Jean sans Terre qu'à faire un signe au shérif pour qu'il lance ses hommes sur Robin, comme on lâche les chiens à l'instant de la curée !

Maintenant, les soldats du shérif entouraient Robin, lui arrachaient sa capuche, lui attachaient les mains.

Là-bas, loin de lui, Petit-Jean et ses compagnons se sentaient impuissants. Si Robin s'était défendu, au moins, ils se seraient précipités pour lui prêter main-forte. Le peuple se serait sûrement jeté dans la mêlée. Et à eux tous, ils auraient arraché Robin des griffes du shérif ! Mais là, on aurait dit que Robin avait perdu tout courage. Il ne se débattait même pas !

Petit-Jean aurait voulu crier :

– Nous sommes là, Robin ! Nous te délivrerons !

Mais, s'il l'avait fait, il aurait donné l'alerte aux soldats qui gardaient le champ de foire. Désormais, s'il voulait, avec ses compagnons, avoir une chance de délivrer Robin, il faudrait agir par surprise. Alors il resta muet, mais tout bouillant de rage intérieure.

Quand les hommes du shérif entourèrent Robin, celui-ci releva la tête. Il regarda le régent, qui contemplait la scène en se frottant les mains, un sourire mauvais aux lèvres, et il lui lança fièrement :

– Oui ! Je suis Robin des Bois !

Puis, se tournant vers Marianne, il cria :

– Traîtresse !

Et il se laissa emmener par les soldats, comme un mouton qu'on conduit à l'abattoir.

Marianne avait pâli en l'entendant. Non ! Elle ne l'avait pas trahi. Bien au contraire ! Et si elle avait pu lui parler, lui expliquer ce qui s'était passé, il aurait compris, elle en était sûre ! Elle l'avait reconnu sous son déguisement de paysan, malgré son visage frotté de suie. Elle n'avait pu s'empêcher de lui sourire. Mais elle s'était aussitôt souvenue que le régent et le shérif épiaient ses réactions. Voilà pourquoi elle s'était détournée, pour ne pas le trahir, justement ! Mais comment le lui dire, maintenant ?

Et elle regardait, les larmes aux yeux, les soldats qui emmenaient Robin vers le cachot le plus profond et le plus sombre de tout le château. Si encore il avait eu sa bague ! Elle aurait pu crier au régent :

– Cet homme est mon vassal. Regardez ! Il porte une bague que je lui ai donnée. Aussi, au nom des lois sacrées de la chevalerie, vous ne pouvez ni l'arrêter, ni le juger. Le seul qui pourrait le faire, ce serait le roi Richard, puisqu'il est lui-même mon tuteur !

Hélas ! Robin n'avait pas la bague. Et elle, elle ne pouvait rien faire, sinon écouter le régent proclamer d'une voix où perçait la joie du chasseur qui a enfin capturé sa proie :

– Eh bien, puisque cet homme a reconnu être Robin des Bois, il sera pendu demain matin haut et court sur la grand-place de Nottingham. Et j'invite toute la population de la ville à venir assister au châtiment d'un hors-la-loi qui s'est trop longtemps joué de notre royale justice !

Marianne voulut protester. Mais, à l'instant où elle se tournait vers Jean sans Terre, la foule poussa un cri.

Là-bas, à l'entrée du château, un homme s'était précipité vers Robin. Et, seul contre tous, il s'était jeté sur les hommes d'armes qui l'entouraient.

Marianne reconnut Petit-Jean. Et son cœur battit follement. Il allait sûrement délivrer Robin ! Elle fit un pas en avant, comme pour aider Petit-Jean. Mais le régent la retint par la manche :

– Eh bien, ma noble cousine, lui dit-il en riant, vous vous intéressez, vous aussi, à notre petite partie de chasse à l'homme ?

Et, comme elle essayait de le repousser, il ajouta :

– Il faudra bien vous habituer à moi, très chère. N'oubliez pas que demain après-midi, sitôt ce Robin de Loksley pendu, monseigneur l'évêque d'Hereford nous mariera en la chapelle du château.

– Laissez-moi ! fit-elle en se détournant violemment.

Les soldats, un instant surpris, s'étaient déjà ressaisis. Et Petit-Jean fut très vite ceinturé puis attaché comme Robin. Étrangement, il ne portait pas d'armes.

– Pourquoi as-tu fait ça ? lui demanda Robin à voix basse, pendant qu'ils franchissaient le pont-levis.

– J'ai quelque chose pour toi, répondit Petit-Jean avec un sourire.

– Quelque chose pour moi ? s'étonna Robin.

– Oui. De la part de Marianne.

Et comme Robin, en entendant ce nom, se détournait, il ajouta :

– Attends de savoir ce que c'est, Robin !

Au même instant, le shérif lançait à la foule :

– Demain matin, cet homme tiendra compagnie à Robin des Bois sur la potence ! Et tous ceux qui essaieront de les délivrer iront les rejoindre !

Qu'est-ce que Petit-Jean donne à Robin des Bois ?

7

Condamnés à mort !

– Regarde ! dit Petit-Jean lorsqu'ils furent dans la prison du château.

Il tira d'un pli de sa ceinture la bague de Marianne, dont les diamants brillèrent doucement dans la pénombre du cachot.

33

– Prends-la, ajouta-t-il. C'est pour te protéger que Marianne…

– Pour me protéger ? s'exclama Robin des Bois. Après m'avoir trahi ?

– Ne sois pas injuste avec elle, Robin. Mets cette bague à ton doigt. Et tu verras bien demain…

– Tu veux dire que « nous verrons bien » ! corrigea Robin. Car il n'est pas question qu'on te pende sans moi ! ajouta-t-il en riant. Je serais trop jaloux !

Le lendemain, dès l'aube, Robin et Petit-Jean furent réveillés par de sourds battements de tambours qui résonnaient dans la cour du château.

– Allons ! leur lança le geôlier en pénétrant dans leur cachot. Si vous voulez danser au bout d'une corde, il faut d'abord vous mettre debout, messeigneurs.

Tout en parlant, il détachait une à une les lourdes chaînes qui les retenaient au mur.

– D'ailleurs, ajouta-t-il avec un ricanement, le régent a déjà commandé la musique.

Les tambours étaient tout proches, en effet. Le geôlier remit Robin et Petit-Jean aux mains des archers envoyés par le shérif.

La grand-place de Nottingham était noire de monde. Tous les compagnons de Robin, Willy l'Écarlate et frère Buck en tête, étaient là, bien décidés à empêcher l'exécution. Mais le shérif avait fait entourer la place par ses hommes d'armes. Il avait même posté des arbalétriers sur les toits, prêts à tirer sur la foule au moindre mouvement.

Quand Robin et Petit-Jean apparurent, le régent venait juste de s'installer sur l'estrade d'honneur, tendue de velours rouge, que l'on avait dressée en face de la potence. Marianne était assise à côté de lui. Elle tenait à la main un fin mouchoir de dentelle, qu'elle portait sans cesse à ses yeux. Le régent, agacé, se tourna vers elle :

– Je ne vous comprends pas, ma très noble cousine. Hier, vous êtes attaquée dans la forêt de Sherwood par des hors-la-loi qui vous dépouillent de vos biens, et notamment d'un coffre contenant deux mille pièces d'or. Je les fais arrêter dès le lendemain, pendre le surlendemain, avant d'envoyer mes hommes reprendre notre bien. Et vous ne semblez pas contente !

Marianne ne répondit pas. Jean sans Terre haussa les épaules avant de faire signe au bourreau.

Celui-ci et ses aides, tous vêtus de rouge, le visage dissimulé sous une cagoule, se saisirent de Robin et de Petit-Jean. Puis ils voulurent leur lier les mains. Mais Robin et Petit-Jean se débattirent. Ils levèrent leurs mains au-dessus de leurs têtes pour retarder l'instant où le bourreau les attacherait…

À cet instant, un rayon de soleil matinal fit briller la bague au doigt de Robin. Marianne la vit. Elle se dressa d'un bond en criant :

– Arrêtez ! Cet homme porte ma bague. Il est mon vassal, ainsi que son compagnon. Ils appartiennent tous les deux à la justice du roi Richard !

Dans la foule, il y eut un murmure d'étonnement. Depuis longtemps, on ne prononçait plus en public le nom du roi disparu.

– Longue vie au roi Richard ! crièrent aussitôt les compagnons de Robin.

– Longue vie au roi Richard ! reprit la foule, malgré la menace des soldats du shérif qui brandissaient leurs armes.

Le bourreau se retourna vers Jean sans Terre, pour lui demander ses ordres.

– Poursuivez l'exécution, fit celui-ci, le visage impassible. Et confisquez la bague… Ou plutôt, non, gardez-la pour vous.

– Mais elle est à moi ! s'écria Marianne. Et je l'ai donnée à Robin des Bois.

– Je n'en crois rien, ma chère cousine. Je suis sûr, au contraire, que ces hors-la-loi vous l'ont volée avant-hier. Mais ne vous inquiétez pas. Je vous en achèterai une autre, bien plus belle… Et qu'on poursuive l'exécution, ajouta-t-il à l'intention du bourreau.

Celui-ci allait reprendre sa sinistre besogne, quand Marianne s'adressa à la foule :

– Je jure, devant Dieu et tous les saints du Paradis, que cette bague m'a été donnée par le roi Richard lui-même, le jour de son départ pour les Croisades. Ainsi, il m'accordait sa protection pendant son absence. Cette bague, je l'ai donnée à Robin pour que la protection du roi Richard s'étende aussi sur lui et sur ses compagnons…

– Mais Richard ne reviendra jamais ! s'écria le régent en se dressant brusquement.

– Et pourquoi donc ? lui demanda Robin en bondissant vers l'estrade tendue de rouge.

Le bourreau était tellement impressionné par les paroles de Marianne qu'il n'avait pas osé le retenir.

Les deux hommes se faisaient face. On aurait dit deux chevaliers prêts à se défier en combat singulier. Mais Jean sans Terre était bien trop lâche pour se battre en duel. Il jeta un coup d'œil au shérif, pour s'assurer de la fidélité de ses hommes, avant de répondre :

– Le roi Richard, que Dieu ait son âme, est

mort dans un naufrage en revenant de 34
Jérusalem !

– Mensonges ! crièrent ensemble Robin et Marianne.

– Le shérif nous a affirmé qu'il était prisonnier de l'empereur d'Autriche, reprit aussitôt Robin.

– Et vous m'avez assuré, ajouta Marianne, qu'un voilier, ancré dans le port de Londres, était prêt à partir pour l'Autriche. Alors, qu'attendez-vous pour payer la rançon et délivrer notre roi ?

– Elle a raison ! cria un homme au milieu de la foule. La rançon doit être réunie maintenant. Cela fait deux ans que nous sommes écrasés d'impôts et…

Il n'eut pas le temps d'achever. Une flèche tirée depuis les toits l'atteignit en pleine poitrine. Il s'affaissa, mortellement touché. 35

– Tous ceux qui protesteront connaîtront le même sort, lança le shérif à la foule qui grondait de colère, maintenant.

– Et que l'on achève cette exécution ! ajouta le régent en se rasseyant. Que l'on pende enfin ce Robin de Loksley et son complice ! Le roi

Richard ne reviendra pas. Car la rançon ne sera jamais payée. Et moi, dans quelques jours, je me ferai couronner roi d'Angleterre. Ainsi…

Une énorme clameur couvrit ses paroles. Cette fois, le peuple se révoltait ouvertement en scandant :

– RICHARD ! RICHARD !

– C'est le moment, fit Willy l'Écarlate.

Et il s'élança. À ses côtés, frère Buck brandissait une longue épée qu'il avait gardée jusque-là cachée sous sa robe de bure ! Il la lança à Robin…

Qui veut se faire couronner roi d'Angleterre ?

8

Délivrés !

Voyant Robin des Bois armé d'une épée et bien décidé à s'en servir, le bourreau et ses aides s'enfuirent vers le château pour s'y réfugier. Mais ils eurent du mal à passer au milieu de la foule en colère, qui scandait maintenant le nom de Richard associé à celui de Robin.

La grand-place de Nottingham n'était plus qu'une mêlée furieuse. Les hommes d'armes du shérif avaient d'abord tiré leurs épées et abattu tous ceux qui se trouvaient devant eux. Mais, très vite, les compagnons de Robin avaient distribué des armes tout autour d'eux. Et, comme par hasard, les bouchers avaient sorti des couteaux cachés dans les plis de leurs cottes, les forgerons avaient brandi des marteaux et les paysans des faucilles !

Depuis, le combat était plus égal. Ou plutôt, chaque soldat du régent était maintenant entouré par un paysan qui essayait de le moissonner, un forgeron qui cherchait à le faire rentrer sous terre et un boucher qui voulait l'égorger ! Sans parler des maçons, des cordonniers, des puisatiers qui, tous, avaient des armes improvisées, dont ils se servaient fort bien. Les soldats étaient mieux armés. Ils savaient aussi mieux se battre. Mais ils n'avaient plus l'avantage du nombre. Et surtout, les arbalétriers, postés sur les toits, n'osaient plus tirer sur la foule. Ils avaient trop peur d'atteindre un des leurs.

D'un coup d'épée, Willy l'Écarlate coupa les cordes auxquelles le bourreau avait voulu pendre Robin et Petit-Jean. Ce dernier abattit les montants de la potence à grands coups d'épaule.

– Ainsi, le régent ne pourra plus faire pendre des innocents, lança-t-il avant de sauter à son tour au milieu de la foule.

Il courut vers l'estrade rejoindre Robin qui tenait tête aux soldats venus protéger le régent.

– Faufile-toi par derrière, lui dit aussitôt Robin, emmène Marianne en lieu sûr, et veille bien sur elle !

– Ne t'inquiète pas, Robin, répondit le géant. Personne ne lui fera du mal, ni le shérif, ni le régent. Je t'en réponds sur ma propre tête !

– Merci ! fit Robin.

Il aurait bien voulu la délivrer lui-même. Mais il s'était donné une autre mission, tout aussi importante :

– Nous, ajouta-t-il en s'adressant aux hommes qui étaient venus le rejoindre, nous allons nous emparer de Jean sans Terre. Mais ne le tuez pas, surtout ! Il me le faut vivant !

La partie n'allait pas être facile, car d'autres soldats du régent s'étaient massés au pied de l'estrade et formaient devant elle un rempart étincelant de casques, d'armures et d'épées.

– À nous ! fit Robin.

Il s'élança, poussé par le seul désir de vaincre l'injustice et la tyrannie. Sur l'estrade, Jean sans Terre, de plus en plus inquiet, hésitait. Allait-il se mettre à la tête des soldats qui se battaient encore pour lui ou allait-il tenter de fuir en prenant Marianne en otage ? Il n'eut pas le temps de se décider. Déjà, Robin et ses hommes serraient de près les derniers soldats qui résistaient encore.

Qui va aider Marianne à s'enfuir ?

Petit-Jean, de son côté, se faufila sous l'estrade. Là, bandant tous ses muscles, il réussit à en soulever une planche, puis une deuxième jusqu'à pouvoir passer son buste et tout son corps par l'ouverture.

Le régent, trop préoccupé par la menace de Robin, tout proche de lui maintenant, n'avait rien entendu. Mais Marianne, alarmée par les craquements du bois, s'était retournée. Elle aperçut Petit-Jean debout sur l'estrade. Celui-ci, un doigt posé sur sa bouche, lui fit signe de ne pas crier. Mais elle l'avait reconnu. Elle se précipita vers lui. Et, à l'instant où le régent se retourna pour voir ce qui se passait dans son dos, Marianne avait disparu. Il ne restait plus sur l'estrade que Petit-Jean.

– Tirez sur cet homme ! cria Jean sans Terre à ses soldats. Tirez-lui dessus, par tous les diables !

Mais ses hommes étaient bien trop occupés à essayer de sauver leurs propres vies pour se préoccuper encore du régent. Le shérif lui-même, à demi assommé par frère Buck, suppliait qu'on l'épargne.

37

Robin sauta sur l'estrade et menaça le régent en pointant vers lui sa longue épée.

Alors, abandonné de tous, Jean sans Terre, régent d'Angleterre, leva les bras au ciel et cria :

– Grâce, Robin, grâce, au nom du ciel, épargne-moi ! Je partagerai avec toi tous mes trésors.

– Mais il n'est pas question de vous tuer, messire, riposta Robin en faisant signe à ses hommes de cesser le combat. Pas plus d'ailleurs que de partager quoi que ce soit avec vous. Car tout ce que vous possédez appartient en réalité à votre frère Richard.

– Mais... voulut protester Jean sans Terre.

– Aussi, continua Robin, nous irons avec vous jusqu'au château. Là, vous nous ouvrirez vos coffres. Et nous partirons tous ensemble pour Londres.

Quelques jours plus tard, le bateau, qui avait attendu si longtemps dans le port, faisait enfin voile vers l'Autriche, emportant les vingt mille pièces d'or de la rançon. Ce qui resta des trésors du régent fut distribué aux pauvres par les soins de Robin et de ses compagnons.

Il leur fallut encore attendre deux longs mois pour apprendre la grande nouvelle : Richard

Cœur de Lion était de retour en Angleterre !

Après un bref séjour dans la capitale, pendant lequel il avait raffermi son pouvoir et éloigné le régent des affaires du royaume, il se mit en route pour Nottingham. Il avait une grande envie de revoir sa filleule Marianne, après une si longue absence, et de connaître enfin ce Robin de Loksley, grâce auquel il avait retrouvé sa liberté.

Par un bel après-midi d'été, il vint avec son escorte dans la forêt de Sherwood. Les compagnons de Robin, qui guettaient son arrivée, lancèrent aussitôt le signal d'alarme, en l'accompagnant de hourras enthousiastes.

Robin et Marianne vinrent au-devant de leur roi.

Robin salua Richard Cœur de Lion en s'inclinant respectueusement.

– Majesté, lui dit-il en se redressant, ce n'est pas une embuscade que nous vous tendons aujourd'hui, mais… nous avons une faveur à vous demander…

– Vous pouvez me parler sans crainte, dit le roi. Car je vous dois la vie, ou presque… Aussi, il n'est rien que je puisse vous refuser.

– Majesté, reprit alors Marianne, il y a quelques mois, je ne connaissais pas Robin des Bois, ou plutôt j'avais entendu parler de lui comme d'un bandit de grands chemins, un rebelle, un hors-la-loi. Mais la première fois que je l'ai rencontré, j'ai compris que vous n'aviez pas, dans votre royaume, de serviteur plus fidèle et plus dévoué que lui. Et cela nous a rapprochés, l'un et l'autre. Si bien qu'aujourd'hui, nous voulons vous demander…

Marianne hésita un instant, rougit un peu avant d'achever :

– …de me permettre d'épouser Robin des Bois ici présent.

Le visage du roi, marqué par les combats de la Croisade et par deux ans de captivité, s'éclaira d'un grand sourire :

– Je ne vous aurais moi-même pas trouvé meilleur époux dans toute la noblesse d'Angleterre, ma très chère filleule. Aussi, c'est volontiers que je consens à ce mariage.

Les cris de joie éclatèrent de toutes parts.

Le lendemain, frère Buck maria Robin et la belle Marianne au château de Nottingham, en présence du roi et de l'évêque d'Hereford.

Puis, tout le monde retourna dans la forêt de Sherwood pour le banquet.

Et c'est là que Blondel, le célèbre troubadour, ami de Richard Cœur de Lion, composa la première ballade qui allait rendre célèbre dans le monde entier Robin de Loskley sous le nom de Robin des Bois !

1

se poster en embuscade
Se cacher pour attaquer un ennemi par surprise.

2

une **fronde**
Lanière de cuir utilisée au Moyen Âge pour lancer des pierres.

3

un **archer**
Soldat armé d'un arc et de flèches.

un **arbalétrier**
Soldat armé d'une arbalète.

4

une **oriflamme**
Bannière longue et effilée.

5

une **livre**
Ancienne mesure de poids valant environ cinq cents grammes. Deux cents livres font près de cent kilos.

6

avec **visière** et **nasal**
Pièces métalliques d'un casque servant à protéger les yeux et le nez.

une **cotte de mailles**
Sorte de gilet en fils métalliques tissés, servant de protection aux soldats.

7

un **carquois**
Étui contenant des flèches.

une **arbalète**

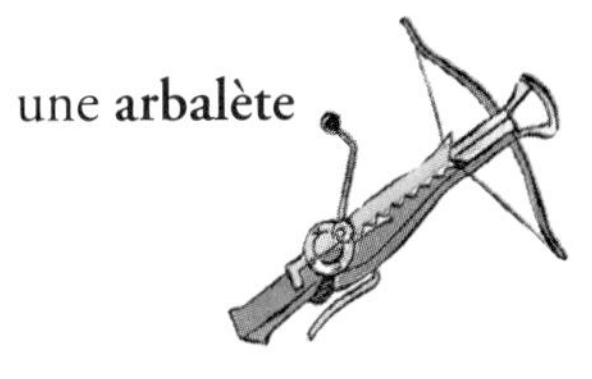

8
une **toise**
Ancienne mesure de longueur valant près de deux mètres.

9
une **dague**
Poignard à lame large et courte.

10
défier
Provoquer en duel.

11
une voix **courroucée**
Voix de quelqu'un qui est en colère.

12
piteusement
Avec la voix de quelqu'un qui a échoué et qui en a honte.

13
le **régent**
Personnage qui exerçait le pouvoir royal en l'absence du roi ou en attendant qu'il soit majeur.

14
confisquer
S'emparer de ce qui appartient à quelqu'un, de façon autoritaire et pour le punir.

15
un **liard**
Ancienne pièce de monnaie qui valait le quart d'un sou, c'est-à-dire presque rien.

16
que nenni !
Expression utilisée au Moyen Âge pour dire « Oh ! que non ! »

17
escorter
Accompagner quelqu'un pour assurer sa protection.

18
une **lieue**
Ancienne mesure de longueur valant environ quatre kilomètres.

19
un **tuteur**
Personne qui remplace les parents d'un orphelin.

20
une **balafre**
Longue entaille faite par une arme tranchante. La bouche du régent faisait penser à une balafre.

21
mander
Faire venir.

22
le **héraut**
Celui qui lisait les annonces officielles. Le héraut d'armes arbitrait les tournois.

23
un **ducat**
Ancienne monnaie d'or.

24
la **rumeur**
Nouvelle qui se répand de bouche à oreille.

25
la **suie**
Matière noire que la fumée dépose dans les cheminées.

26
une **escarcelle**
Bourse que l'on portait pendue à la ceinture.

27
passer inaperçu
Ne pas attirer l'attention.

28
scander
Parler ou crier en détachant bien les syllabes.

29
trahir
Passer du côté de l'ennemi.

30
la **curée**
Lors des chasses à courre, moment où l'on donnait à manger aux chiens de la meute une partie de la bête tuée.

31
un **vassal**
Au Moyen Âge, homme qui prêtait serment d'obéissance à un seigneur et que le seigneur protégeait.

32
se jouer de
Se moquer de.

33
la **pénombre**
Lumière faible.

34
faire **naufrage**
Couler en mer pour un bateau.

35
s'affaisser
Tomber en pliant sur les jambes.

36
la **tyrannie**
Gouvernement autoritaire, injuste et cruel.

37
épargner
Laisser la vie sauve.

38
raffermir
Rendre plus fort.

Les aventures du rat vert

- 1 Le robot de Ratus
- 3 Les champignons de Ratus
- 6 Ratus raconte ses vacances
- 8 Ratus et la télévision
- 15 Ratus se déguise
- 19 Les mensonges de Ratus
- 21 Ratus écrit un livre
- 23 L'anniversaire de Ratus
- 26 Ratus à l'école du cirque
- 29 Ratus et le sapin-cactus
- 36 Ratus et le poisson-fou
- 40 Ratus et les puces savantes
- 46 Ratus en ballon
- 47 Ratus père Noël
- 50 Ratus à l'école
- 54 Un nouvel ami pour Ratus
- 57 Ratus et le monstre du lac
- 1 Ratus chez le coiffeur
- 2 Ratus et les lapins
- 9 Ratus aux sports d'hiver
- 13 Ratus pique-nique
- 23 Ratus sur la route des vacances
- 27 La grosse bêtise de Ratus
- 38 Ratus chez les robots
- 41 Ratus à la ferme
- 46 Ratus champion de tennis
- 56 Ratus et l'œuf magique
- 60 Ratus et la barbu turlututu
- 8 La classe de Ratus en voyage
- 12 Ratus en Afrique
- 16 Ratus et l'étrange maîtresse
- 26 Ratus à l'hôpital
- 29 Ratus et la petite princesse
- 31 Ratus et le sorcier
- 33 Ratus gardien de zoo
- 47 En vacances chez Ratus

Les aventures de Mamie Ratus

- 7 Le cadeau de Mamie Ratus
- 39 Noël chez Mamie Ratus
- 3 Les parapluies de Mamie Ratus
- 8 La visite de Mamie Ratus
- 31 Le secret de Mamie Ratus
- 5 Les fantômes de Mamie Ratus

Ralette, drôle de chipie

- 10 Ralette au feu d'artifice
- 11 Ralette fait des crêpes
- 13 Ralette fait du camping
- 18 Ralette fait du judo
- 22 La cachette de Ralette
- 24 Une surprise pour Ralette
- 28 Le poney de Ralette
- 38 Ralette, reine du carnaval
- 45 Ralette, la super-chipie !
- 51 Joyeux Noël, Ralette !
- 56 Ralette, reine de la magie
- 4 Ralette n'a peur de rien
- 6 Mais où est Ralette ?
- 20 Ralette et les tableaux rigolos
- 44 Les amoureux de Ralette
- 48 L'idole de Ralette
- 11 Ralette au bord de la mer
- 34 Ralette et l'os de dinosaure

Les histoires de toujours

- 27 Icare, l'homme-oiseau
- 32 Les aventures du chat botté
- 35 Les moutons de Panurge
- 37 Le malin petit tailleur
- 41 Histoires et proverbes d'animaux
- 49 Pégase, le cheval ailé
- 26 Le cheval de Troie
- 32 Arthur et l'enchanteur Merlin
- 36 Gargantua et les cloches de Notre-Dame
- 43 La légende des santons de Provence
- 49 Les malheurs du père Noël
- 52 À l'école de grand-père
- 21 L'extraordinaire voyage d'Ulysse
- 27 Robin des Bois, prince de la forêt
- 36 Les douze travaux d'Hercule
- 40 Les folles aventures de Don Quichotte
- 46 Les mille et une nuits de Shéhérazade
- 49 La malédiction de Toutankhamon
- 50 Christophe Colomb et le Nouveau Monde

Super-Mamie et la forêt interdite

- 42 Super-Mamie et le dragon
- 43 Le Noël magique de Super-Mamie
- 44 Les farces magiques de Super-Mamie
- 48 Le drôle de cadeau de Super-Mamie
- 59 Super-Mamie et le coiffeur fou
- 39 Super-Mamie, maîtresse magique
- 42 Au secours, Super-Mamie !
- 45 Super-Mamie et la machine à rétrécir
- 50 Super-Mamie, sirène magique
- 57 Super-Mamie, dentiste royale
- 37 Le mariage de Super-Mamie
- 39 Super-Mamie s'en va-t-en guerre !

L'école de Mme Bégonia

- 11 Drôle de maîtresse
- 14 Au secours, le maître est fou !
- 16 Le tableau magique
- 25 Un voleur à l'école
- 33 Un chien à l'école
- 47 Bonjour, madame fantôme !

La classe de 6e

- 14 La classe de 6e et les hommes préhistoriques
- 17 La classe de 6e tourne un film
- 24 La classe de 6e au Futuroscope
- 30 La classe de 6e découvre l'Europe
- 35 La classe de 6e et les extraterrestres
- 42 La classe de 6e et le monstre du Loch Ness
- 44 La classe de 6e au Puy du Fou
- 48 La classe de 6e contre les troisièmes

Collection Ratus Poche

Collection Ratus Poche

Les imbattables

- 54 La rentrée de Manon
- 58 Barnabé est amoureux !
- 55 Le chien de Quentin
- 61 Le courage de Manon

Baptiste et Clara

- 30 Baptiste et le requin
- 35 Baptiste et Clara contre le vampire
- 37 Baptiste et Clara contre le fantôme
- 40 Clara et la robe de ses rêves
- 51 Clara et le secret de Noël
- 53 Les vacances de Clara
- 59 Clara fait du cinéma
- 22 Baptiste et Clara contre l'homme masqué
- 32 Baptiste et le complot du cimetière
- 38 Clara superstar
- 41 Clara et le garçon du cirque
- 43 Clara, reine des fleurs
- 45 Clara et le cheval noir

Les enquêtes de Mistouflette

- 9 Mistouflette et le trésor du tilleul
- 30 Mistouflette sauve les poissons
- 34 Mistouflette et les chasseurs
- 5 Mistouflette et les tourterelles en danger
- 24 Mistouflette enquête au pays des oliviers
- 1 Mistouflette contre les voleurs de chiens
- 7 Mistouflette et la plante mystérieuse

Francette top secrète

- 52 Mystère à l'école
- 53 Drôle de momie !
- 55 Mission Noël
- 58 Enquête à quatre pattes

Conception graphique couverture : Pouty Design
Conception graphique intérieur : Jean Yves Grall • mise en page : Atelier JMH

Imprimé en France par Pollina, 85400 Luçon - n° L47647
Dépôt légal n° 42469 - Août 2008